大象小不点

小不点 的新朋友

〔奥〕埃尔温·莫泽尔 文·图　　　赵远虹 译

南海出版公司

一天，小不点发现了一只特别漂亮的大蝴蝶。他想跟蝴蝶一块儿玩，就追着她一直跑呀跑。

蝴蝶引着他来到了一个山洞前，然后飞走了。这个山洞是空的，看起来很舒服。

小不点马上把河猪夫妇带过来，好让他们也看看这个山洞。河猪夫妇也很喜欢这儿，于是，他们决定马上搬过来住。

　　这时，小不点已经跟河猪夫妇一起生活了两个多月，熟悉了河边的一切。而且，他又长大了一些。

　　现在小不点已经知道，河猪夫妇并不是自己的亲生父母。不过他觉得这不要紧，因为河猪夫妇很爱他，他呢，也很爱河猪夫妇。

但是小不点常常会觉得无聊，因为这里没有朋友跟他一块儿玩。

　　河里住着鳄鱼一家。虽说他们的儿子跟小不点差不多大，可这两个小家伙根本没法一起玩，因为小不点不会游泳。

　　还有一个原因就是：小鳄鱼是个爱挖苦别人的家伙，他一见到小不点就冷嘲热讽。

　　"嘿！你到底是一头象呢，还是一头猪？"他说，"我知道你是什么了！你是猪象！哈哈哈，又是象猪！又矮又胖的小象猪，小象猪！"

小不点被惹急了，就用长鼻子朝他喷水。
不过之后，他心里仍然很难过。

有一天，小鳄鱼又在嘲笑小不点了。小不点被气得受不了，转身朝大草原走去，想一个人安静一会儿。无意间，他发现一个沙丘附近有两行奇怪的脚印。这些脚印跟他自己的很像，只不过大了许多。这附近一定有一只很大的象路过！

　　小不点兴奋地顺着脚印向前追，可是没多久，脚印消失在了草丛里。不过小不点没有回头，也许再往前走走，还能找到脚印呢？

　　他又走了很久很久。

　　当他停下来时，发现自己已经走到沙漠里了。

　　小不点继续向沙漠深处走去，但是再也没找到那两行脚印。糟糕！这下他真的迷路了。

小不点想往回走，却看见黑沉沉的沙暴铺天盖地而来。
沙暴迅速地逼近。

看起来好吓人！小不点撒腿就跑。他必须赶紧找个地方躲一躲。

他跑啊、跑啊，居然把沙暴甩在了身后。啊，前面有一
个沙洞！他拼尽全身力气爬了进去。

沙洞的深处，居然住着一只沙鼠。

"进来吧，这里绝对安全。"沙鼠说，"你是一头小象吧！你来沙漠里做什么？"

小不点向沙鼠讲述了自己在河边的生活，又告诉他自己是怎么在沙漠里迷路的。

"我真想看看你说的那条河！"沙鼠说，"等沙暴过去，我跟你一起走。咱俩一起找，肯定能找到那条河的！怎么样？"

小不点当然愿意啦！他真高兴能遇到好心的沙鼠。

　　大概一个钟头以后，外面安静了下来。于是，他俩从沙洞里走出来。

　　沙鼠四下张望了一下："走，咱们爬到那座山上去，说不定能从山顶上看到那条河。"

他俩爬到山顶上，可是只看到一望无际的大沙漠。

突然，他们听到了一阵微弱的呼救声——原来有一只小狮子吊在悬崖边上！他正死命地拽着一截树根。

"救救我！"他喊道，"我快坚持不住了！"

小不点连忙伸出鼻子让他抓住，然后拼命地把他往上拉，沙鼠也在一旁帮忙。

"谢谢！"小狮子总算松了一口气，"你们来得太及时了！是沙暴把我刮到这儿来的。咦，这是什么地方啊？"

"我们也不知道。"小不点摇了摇头，"我们要去找一条河，你想一起去吗？"

"想啊！"小狮子说，"我现在渴得简直能喝下半条河！"

三个小伙伴估摸着大致方向往前走去。小不点让沙鼠坐在自己的背上，因为沙鼠实在跑不快呀。

走了一会儿，突然，远处的地平线上出现了几棵树。这下他们知道，这条路一定没错——因为有树的地方肯定有草，有草的地方肯定有河！

不久，他们就走在草原上了。

在那儿，他们发现了一只老鹰，他在沙暴中折断了一只翅膀。

"我再也飞不起来了!"老鹰说,"请你们带上我一起
走吧,不然我会死在这里的。"

沙鼠小心翼翼地给老鹰的翅膀上了夹板。然后,小狮
子把他抱到小不点背上,大家一起再次出发了。

黄昏来临的时候，四个小伙伴终于来到了河边。

他们尽情地喝足了水。然后，小不点带他们去河猪家。

　　“哎呀，小不点！”河猪夫妇大喊起来，“你总算回来了！
你让我们找得好苦啊！”

　　“我去沙漠里了。”小不点说，“我还带回来三个好朋友！”

　　河猪夫妇热情地招待了沙鼠、小狮子和老鹰。

　　夜深了，大大小小的朋友们挤在河猪夫妇的山洞里睡
着了。

　　第二天，小鳄鱼看到小不点身边有那么多朋友，再也不敢嘲笑他了。

　　四个小伙伴兴高采烈地玩着捉迷藏，小鳄鱼在一旁看得好眼馋。最后，小不点很大方地邀请他一起玩游戏。

　　沙鼠想在河边挖一个新沙洞，小狮子也动手帮起忙来。
河边的生活真是惬意极了。

　　过了几个星期，老鹰的翅膀完全康复，他又能展翅高飞了。他经常飞到很远的地方去，不过每天都会回到朋友们这儿来。小不点请他在飞行时帮忙留意大象的踪迹。

"总有一天，我会找到象群，"小不点想，"只要信心坚定，愿望就能成真……"

图书在版编目（CIP）数据

小不点的新朋友／〔奥〕莫泽尔著；赵远虹译.—
海口：南海出版公司，2011.11
（大象小不点）
ISBN 978-7-5442-5543-1

Ⅰ.①小… Ⅱ.①莫…②赵… Ⅲ.①儿童文学－图
画故事－奥地利－现代 Ⅳ.①I521.85

中国版本图书馆CIP数据核字（2011）第161475号

著作权合同登记号 图字：30-2009-105

Winzig geht in die Wüste by Erwin Moser
© 1987 Beltz & Gelberg
in der Verlagsgruppe Beltz · Weinheim Basel
ALL RIGHTS RESERVED

本书版权由北京华德星际文化传媒有限公司代理